@inspiredtograce

 Inspired To Grace

Shop our other books at
www.inspiredtograce.com

For questions and customer service, email us at
support@inspiredtograce.com

today's verse

reflections

prayers

gratitude

date:

today's verse

reflections

prayers

gratitude

date:

today's verse

reflections

prayers

gratitude

date:

today's verse

reflections

prayers

gratitude

date:

today's verse

reflections

prayers

gratitude

date:

today's verse

reflections

prayers

gratitude

date:

today's verse

reflections

prayers

gratitude

✿ ✿ ✿ ✿ ✿

date:

today's verse

reflections

prayers

gratitude

today's verse

reflections

prayers

gratitude

date:

today's verse

reflections

prayers

gratitude

today's verse

reflections

prayers

gratitude

date:

today's verse

reflections

prayers

gratitude

today's verse

reflections

prayers

gratitude

date:

today's verse

reflections

prayers

gratitude

today's verse

reflections

prayers

gratitude

date:

today's verse

reflections

prayers

gratitude

date:

today's verse

reflections

prayers

gratitude

date:

today's verse

reflections

prayers

gratitude

date:

today's verse

reflections

prayers

gratitude

date:

today's verse

reflections

prayers

gratitude

date:

today's verse

reflections

prayers

gratitude

date:

today's verse

reflections

prayers

gratitude

today's verse

reflections

prayers

gratitude

date:

today's verse

reflections

prayers

gratitude

date:

today's verse

reflections

prayers

gratitude

date:

today's verse

reflections

prayers

gratitude

today's verse

reflections

prayers

gratitude

date:

today's verse

reflections

prayers

gratitude

date:

today's verse

reflections

prayers

gratitude

date:

today's verse

reflections

prayers

gratitude

date:

today's verse

reflections

prayers

gratitude

date:

today's verse

reflections

prayers

gratitude

today's verse

reflections

prayers

gratitude

date:

today's verse

reflections

prayers

gratitude

date:

today's verse

reflections

prayers

gratitude

date:

today's verse

reflections

prayers

gratitude

today's verse

reflections

prayers

gratitude

date:

today's verse

reflections

prayers

gratitude

today's verse

reflections

prayers

gratitude

date:

today's verse

reflections

prayers

gratitude

date:

today's verse

reflections

prayers

gratitude

date:

today's verse

reflections

prayers

gratitude

today's verse

reflections

prayers

gratitude

date:

today's verse

reflections

prayers

gratitude

today's verse

reflections

prayers

gratitude

date:

today's verse

reflections

prayers

gratitude

today's verse

reflections

prayers

gratitude

date:

today's verse

reflections

prayers

gratitude

today's verse

reflections

prayers

gratitude

date:

today's verse

reflections

prayers

gratitude

today's verse

reflections

prayers

gratitude

date:

today's verse

reflections

prayers

gratitude

date:

today's verse

reflections

prayers

gratitude

date:

today's verse

reflections

prayers

gratitude

date:

today's verse

reflections

prayers

gratitude

date:

today's verse

reflections

prayers

gratitude

date:

today's verse

reflections

prayers

gratitude

date:

today's verse

reflections

prayers

gratitude

date:

today's verse

reflections

prayers

gratitude

date:

today's verse

reflections

prayers

gratitude

date:

today's verse

reflections

prayers

gratitude

🌸 🌸 🌸 🌸 🌸

date:

today's verse

reflections

prayers

gratitude

today's verse

reflections

prayers

gratitude

date:

today's verse

reflections

prayers

gratitude

today's verse

reflections

prayers

gratitude

date:

today's verse

reflections

prayers

gratitude

date:

today's verse

reflections

prayers

gratitude

date:

today's verse

reflections

prayers

gratitude

today's verse

date:

reflections

prayers

gratitude

date:

today's verse

reflections

prayers

gratitude

today's verse

reflections

prayers

gratitude

date:

today's verse

reflections

prayers

gratitude

today's verse

reflections

prayers

gratitude

date:

today's verse

reflections

prayers

gratitude

date:

today's verse

reflections

prayers

gratitude

date:

today's verse

reflections

prayers

gratitude

date:

today's verse

reflections

prayers

gratitude

date:

today's verse

reflections

prayers

gratitude

date:

today's verse

reflections

prayers

gratitude

date:

today's verse

reflections

prayers

gratitude

today's verse

reflections

prayers

gratitude

date:

today's verse

reflections

prayers

gratitude

today's verse

reflections

prayers

gratitude

date:

today's verse

reflections

prayers

gratitude

today's verse

reflections

prayers

gratitude

date:

today's verse

reflections

prayers

gratitude

today's verse

reflections

prayers

gratitude

date:

today's verse

reflections

prayers

gratitude

today's verse

reflections

prayers

gratitude

date:

today's verse

reflections

prayers

gratitude

today's verse

reflections

prayers

gratitude

date:

today's verse

reflections

prayers

gratitude

today's verse

reflections

prayers

gratitude

date:

today's verse

reflections

prayers

gratitude

today's verse

reflections

prayers

gratitude

date:

today's verse

reflections

prayers

gratitude

today's verse

reflections

prayers

gratitude

date:

today's verse

reflections

prayers

gratitude

date:

today's verse

reflections

prayers

gratitude

date:

today's verse

reflections

prayers

gratitude

today's verse

reflections

prayers

gratitude

date:

today's verse

reflections

prayers

gratitude

date:

today's verse

reflections

prayers

gratitude

date:

today's verse

reflections

prayers

gratitude

date:

today's verse

reflections

prayers

gratitude

date:

today's verse

reflections

prayers

gratitude